Había una vez una bella y dulce
princesa llamada Blancanieves,
que vivía con su madrastra, la
reina, una mujer muy vanidosa y
que siempre deseaba ser la más
guapa.

La reina preguntaba a diario a su espejo mágico:
—Espejito, ¿quién es la más bella del reino?
Y él siempre contestaba que su reina. Hasta
que un día respondió:
    —Blancanieves es
    la más hermosa.

Enfadada, ordenó a un cazador que llevara a la joven hasta el bosque y allí le diera muerte.

Pero él tuvo piedad y la dejó huir,
acompañada por todos los animales.

Blancanieves, aturdida, nerviosa y muy cansada, anduvo por el bosque hasta que se encontró con una simpática casita y entró en ella.

¡Qué curioso!
¡Todo allí era pequeño, diminuto!

Como estaba agotada de tanto correr, comió lo poco que encontró y luego se quedó dormida sobre siete camitas.

Cuando llegaron los dueños, siete enanitos que trabajaban en una mina, se quedaron asombrados.

Al despertar, Blancanieves les contó su triste historia y todos estuvieron de acuerdo en acogerla en su casa para que viviera con ellos. ¡La joven podría ayudarles a cuidar de su hogar!

La malvada reina volvió a preguntar a su espejo y así se enteró de que Blancanieves vivía. Descubrió dónde moraba y allí fue, disfrazada de anciana, para ofrecer a la joven una manzana envenenada.

Cuando volvieron de
su trabajo, los enanitos se
la encontraron tendida en
el suelo y la creyeron muerta.
Llorando de pena, la metieron
en una urna de cristal y la
llevaron al centro del bosque.

En ese momento, pasó por allí un príncipe.
Los enanitos le contaron su triste historia y él,
viéndola tan bella, la besó dulcemente.Entonces...
¡Blancanieves despertó! Los dos jóvenes se
enamoraron al instante y días después se
casaron y...¡vivieron siempre felices!